D1503060

Dirección editorial:
Departamento de Literatura
Infantil y Juvenil

Dirección de arte:
Departamento de Imagen y Diseño GELV

Diseño de la colección:
Manuel Estrada

*El 0,7% de la venta de este libro
se destina al Proyecto «Mejora
de la Calidad y oferta educativa
del ciclo diversificado del Instituto
Tecnológico Quiché de Chichicastenango
(Guatemala)», que gestiona la ONG
Solidaridad, Educación, Desarrollo (SED).*

Editado por Jorge Hernán Gómez

ISBN: 978-84-263-7370-0
Depósito legal: Z. 4326-09

 Talleres Gráficos Edelvives (50012 Zaragoza)
Certificados ISO 9001
Printed in Spain

FICHA PARA BIBLIOTECAS

EDELVIVES

ALA DELTA

El botín de Atolondrado

Alfredo Gómez Cerdá

Ilustraciones
Sara Rojo

A Marcos,
que pronto aprenderá
a navegar por estos
mares de tinta.

1

PENDENCIERO

Era el capitán del barco pirata. Con eso está dicho todo.

Al abordar un navío, su voz se enronquecía como las olas cuando golpean furiosas contra el acantilado, sus manos encallecidas se crispaban sobre la empuñadura de nácar de su espada, su pata de palo se volvía tan ágil como la de verdad, el ojo que le quedaba se agrandaba tanto que parecía querer escaparse de su órbita y todo su cuerpo se ponía en gran tensión.

Sin duda alguna, fue durante esos momentos cuando se ganó el sobrenombre de Pendenciero.

—¡Todo el mundo a sus puestos! ¡Izad la bandera negra, con la calavera y las tibias cruzadas! ¡Timonel, todo a estribor! ¡Vamos a embestir a ese barco por el costado!

Ver a Pendenciero dando órdenes desde lo alto del castillo de proa de su barco ponía los pelos de punta y nadie se atrevía a rechistar. Todos los piratas se contagiaban de su ardor y ocupaban sus puestos de combate, fijaban la mirada en la presa, se imaginaban el cuantioso botín que hallarían dentro y se aprestaban a cumplir las órdenes hasta el final. Pendenciero jamás les había fallado.

—¡Al abordaje!

Él era el primero que mordía su espada con esa dentadura de oso que tenía, a la que ninguna caries se había atrevido a atacar; a continuación, se agarraba a una maroma y saltaba como un gato enrabietado.

Tras unos segundos por el aire, sintiendo cómo las balas del enemigo le arrancaban los pelos de las orejas, se dejaba caer sobre la cubierta y empezaba a sacudir mandobles a diestro y siniestro.

Viendo su arrojo, los demás piratas no dudaban en seguirlo y en pocos segundos la refriega estaba montada.

—¡Que nadie dé un paso atrás! —vociferaba el capitán pirata, enardecido, avanzando siempre.

Y su tropa se enardecía también y, como él les ordenaba, nadie pensaba en dar un paso atrás.

Sus asaltos se contaban por éxitos y ningún barco, por moderno y armado que fuese, se les resistía.

lustre con un cepillo. Si les daba el sol de plano, hasta deslumbraban. Aseguraban algunos que Botines utilizaba sus botines como espejo para poder afeitarse todas las mañanas.

—¡Carruajes! —gritó Botines.

—¡¿Qué?! —se sorprendió el capitán.

—Este barco va cargado de carruajes de todo tipo —siguió explicando Botines—. Todos sin estrenar. Hay carrozas, carricoches, carromatos, carretas y hasta una diligencia.

Estalló un gran alboroto entre la piratería. Aunque, como es evidente, los piratas son gente de mar, todos se imaginaban conduciendo uno de aquellos carruajes cuando desembarcasen.

—Me pido la diligencia —dijo Pendenciero.

—Es muy grande, tiene dos ejes y cuatro ruedas —le explicó Botines.

—¡Perfecta! Debo pensar en mi mujer y en mis dos pequeños. Necesito amplitud para llevar el equipaje. Cuando uno viaja con niños, todo el espacio es pequeño.

—Diligencia, para el capitán —hablaba Botines al tiempo que escribía.

Pendenciero se rascó la barba con la punta de su cuchillo y, adoptando un tono misterioso, hizo una pregunta a su marinero de confianza:

—¿Has mirado bien en esas bodegas?

—No me he dejado ni un rincón.

—Y… y… —titubeó el capitán—. ¿No viste al loro sabelotodo?

—En este barco no viajaba ese loro, te lo aseguro.

Mientras Botines procedía al reparto de carruajes, Pendenciero regresaba a su camarote. Necesitaba refrescarse un poco, pues los combates siempre le hacían sudar mucho; y cambiarse de ropa, pues la lucha cuerpo a cuerpo solía desgarrarle las camisas y los pantalones; y comer un poco para reponer fuerzas, pues el ejercicio de la esgrima desgastaba una barbaridad y las tripas eran las primeras en protestar.

—¡Cacas! —gritó.

Cacas era el sobrenombre del cocinero, mote muy extraño e inquietante para alguien de su profesión. Nadie, ni él mismo, sabía de dónde había surgido ni quién fue el primero que le llamó así.

—¡Cacas! —volvió a gritar.

—Estoy aquí —replicó el cocinero—. No quiero perderme el reparto de carruajes, pues necesito una carreta de las grandes.

—¡Tengo hambre! —bramó el capitán.

—Dejé el estofado a fuego lento. Ya debe de estar en su punto. Te vas a chupar los dedos.

—¡Más te vale!

—Y de postre, arroz con leche.

—¡Mmm! —el capitán se relamió de gusto.

2

Pierna suelta

Mientras Cacas le servía el humeante estofado, el capitán se sentaba en su silla preferida y se aflojaba las correas de su pata de palo. De su pata de palo no le gustaba hablar mucho, a pesar de que todo el mundo se interesaba por ella:

«¿Cómo perdiste la pierna?».

«¿Te la arrancó la bala de un cañón en medio de algún combate?».

«¿Te hirieron con un sable y el corte se gangrenó?».

«¿Caíste al agua en alta mar y te atacó un tiburón?».

Preguntas como estas las había oído a miles, pero jamás respondió a ninguna.

Dice la leyenda —pero las leyendas a veces exageran— que perdió la pierna jugando una partida de cartas. Enardecido porque le habían tocado unas cartas muy buenas, apostó todo el dinero que tenía; pero, como las apuestas subían y él no quería retirarse, llegó a apostar su propia pierna. Y la perdió.

Según esa misma leyenda, el que ganó la partida se negó a cortarle la pierna e, incluso, renunció a ella. Entonces, el capitán, muy ofendido, pues era de los que piensan que las deudas de juego son sagradas, sacó su espada de la vaina y de un solo tajo se la rebanó a la altura de la rodilla.

Insiste la leyenda en que el capitán le obligó al ganador de la partida a llevarse la pierna dentro de una bolsa, y que él, a la pata coja, consiguió llegar a urgencias, dejando un reguero de sangre por el camino. A punto estuvo de morir desangrado.

El estofado humeaba y su olor resucitaría a un muerto.

—¿Un cazo más? —preguntó el cocinero.

—¡Venga! Está exquisito, Cacas. Mucho mejor que el de mi mujer. La verdad es que ella nunca ha sido buena cocinera. Tienes que darme la receta.

—Es un plato muy sencillo. Te la escribiría con gusto en un papel si supiese escribir.

—Díctasela a Botines, que tiene buena letra. Y también la del arroz con leche, y la de la menestra de verduras, y la de los macarrones a la marinera, y la de…

—Las croquetas de jamón —adivinó Cacas—, esas que tanto te gustan.

—¡Por supuesto! Cuando vuelva a casa le daré todas esas recetas a mi mujer, aunque no sé si servirán para algo, pues ella es un desastre con las cacerolas. Si yo tuviese más tiempo cocinaría todos esos platos y mis hijitos se chuparían los dedos todos los días, pero... ¡como no encuentre pronto al loro sabelotodo!

—¿El loro qué...? —preguntó Cacas con curiosidad.

—Déjalo, son cosas mías.

Después de comer, el capitán gustaba de echar la siesta. ¡Y menudas siestas! De ahí le venía otro de sus sobrenombres: Pierna Suelta. El origen de este mote no está del todo claro, pues no se sabe con certeza si se debía a su sueño tan profundo y placentero, o al hecho de que se quitaba la pierna de madera y la dejaba en el suelo, evidentemente, suelta.

Pierna Suelta se zampó el arroz con leche y rechazó una nueva ración que le ofreció Cacas, pues su estómago estaba a punto de reventar. Se sentó sobre el camastro y se desató la pata de palo, que se desplomó sobre el entarimado.

—Dormiré la siesta un rato, que nadie me moleste.

—A pierna suelta —dijo con doble intención Cacas, para hacerse el gracioso.

El sueño de Pierna Suelta era realmente increíble. Cuando cerraba los ojos y comenzaba a roncar no había nada que pudiese alterarlo: ni una tempestad, ni un motín a bordo, ni un cañonazo… No obstante, toda su tripulación era muy considerada con él y, en cuanto escuchaban los primeros ronquidos, procuraban no hacer ruido. Hablaban en voz baja e incluso caminaban de puntillas sobre cubierta.

«Pierna Suelta duerme a pierna suelta», era la consigna que se iban pasando unos a otros.

Pero ni siquiera la consigna era necesaria, pues bastaba oír los ronquidos, que hacían temblar hasta el mismísimo palo mayor, agitando todo el velamen del navío, para comprender lo que estaba haciendo su capitán.

Antes de cerrar los ojos y conciliar el sueño, Pierna Suelta le hizo una pregunta a Cacas.

—Y tú ¿para qué quieres una carreta de las grandes si no tienes familia?

—En realidad no es para mí, sino para mi madre —reconoció el cocinero.

—¿Tu madre?

—Desde que mi padre desapareció, la pobre tiene que llevar la granja sola. Una carreta grande le vendrá muy bien para transportar gallinas, algún cordero y, si me apuras, hasta un ternero.

—Bien pensado —reconoció el capitán, y le agradó comprobar que su cocinero era un hombre de buenos sentimientos.

—Una granja es un trabajo duro para una mujer sola.

—¿Cuándo desapareció tu padre?

—Hace ya dos años. Se fue a la ciudad a vender unos quesos de cabra y no regresó. Unos dicen que pilló unas fiebres muy altas; otros, que lo pilló una jovencita rubia de un pueblo de las montañas. Lo cierto es que no regresó.

—Lo siento, sobre todo por tu madre —el capitán adoptó un tono compasivo y solidario en sus palabras.

—No lo sientas, Pierna Suelta. Mi madre estaba hasta la coronilla de él. El único inconveniente es que ahora tiene que apechugar con todo el trabajo de la granja ella sola. Espero que la carreta le alivie un poco la carga.

Mientras se le cerraban los párpados, Pierna Suelta pensaba en su mujer, la Crustáceo, que era como la llamaba todo el mundo. No era conocida por ese mote porque tuviera cara de carabinero o porque sus dedos semejasen las garras de los cangrejos. Tampoco era porque le encantasen los crustáceos y se los zampase a toneladas. La versión más creíble es que el apodo le venía por los largos pelos de su bigote, que semejaban las antenas de los langostinos.

Pierna Suelta a veces había pensado que alrededor de la casa donde vivían podían preparar una granja y un huerto.

¡Una granja y un huerto! Aunque parezca un poco raro que un pirata se refiera a estas cosas, él siempre lo había considerado.

Se lo había propuesto varias veces a la Crustáceo.

—¡Ni lo pienses! —le había contestado ella la última vez, escupiendo con furia la cabeza de una gamba—. ¡Yo no he nacido para destripar terrones con una azada!

Él no lo veía tan mal. Cavar el huerto, abonarlo, plantar patatas, garbanzos, lechugas, tomates… Tener un corral con gallinas, una pocilga con puercos, una cuadra con caballos, un redil con algunas ovejas…

—¡Ni lo pienses! —repetía la Crustáceo—. ¡Esa vida no es para mí! Bastante hago con cuidar de nuestros hijos. Así que procura traer buen botín para que no nos falte nada.

Pierna Suelta se dormía pensando en tomates, pepinos, coliflores, gallinas, terneros, lechones… Quizá por eso sus ronquidos resonaban en el barco como el mugido de las vacas, el balido de las ovejas, el relincho de los caballos, el gruñido de los puercos... Todo a la vez, mezclado, formando una estridente sinfonía capaz de destrozar los oídos a cualquiera.

Los piratas se miraban, se hacían gestos cómplices y, en voz baja, para no despertar a su capitán, repetían:

—Pierna Suelta duerme a pierna suelta.

3

MELANCÓLICO

Como es bien sabido, después de una siesta, la mayoría de las personas se levanta de mal humor, se irrita por cualquier motivo y gruñe por todo.

Al capitán pirata las siestas lo volvían melancólico. Pero su tristeza no era la del que siente que se ha desplomado una tragedia sobre él. Más bien era una tristeza tranquila, lánguida, sosegada, llena de nostalgia…

Por eso, cuando se despertaba de la siesta, lanzaba un profundo suspiro lleno de melancolía. Y de ahí precisamente le venía otro de sus sobrenombres más famosos: Melancólico.

Después de la siesta era frecuente verlo ensimismado mientras navegaban por algún océano. Su pensamiento volaba como los alcatraces por encima de las enormes olas y buscaba la colina verde donde estaba su casa; y allí, junto a la puerta, se imaginaba a la Crustáceo y a sus dos hijitos. ¡Pasaba tanto tiempo sin verlos!

—¡Ayyyyyy! —suspiraba, mientras trataba de desentumecer los músculos de su cuerpo, aletargados por la inmovilidad en la cama.

Cacas, que conocía de sobra estos arrebatos de su capitán, le tenía preparado un café bien cargado, con el fin de espabilarlo cuanto antes y eliminar esos pensamientos de su cabeza.

—Huele bien —husmeaba Melancólico.

—¿No reconoces ese olor? —preguntaba Cacas, con una media sonrisa dibujada en su rostro curtido por los vientos marinos y el vaho de los fogones.

—Café.

—Doble y bien cargado, como a ti te gusta. Dos cucharadas de miel y un pastel de manteca.

—¡Ya me estoy relamiendo! Quiero también la receta del pastel de manteca.

A Melancólico le gustaba mojar el pastel en el café y luego beberse de un trago lo que había quedado en la taza, todo lleno de migas.

—¿Te ha gustado? —preguntaba Cacas, que como a todos los cocineros del mundo le encantaba que alabasen lo que hacía.

—¡Riquísimo! —le respondía el capitán, limpiándose los labios con la manga de la camisa.

—Es el café que robamos a aquel barco holandés hace tres meses.

—Sería perfecto si no me soltase el vientre —añadió Melancólico al sentir los primeros retortijones en sus tripas.

—La receta del pastel de manteca es muy sencilla —trató de explicarle Cacas.

—Díctasela a Botines. —Se calzó la pierna de palo a toda prisa y se ató los cordones con fuerza.

—Basta con que mezcles…

—¡No puedo escucharte ahora, Cacas! —gritó el capitán, y echó a correr hacia las letrinas.

También se ponía melancólico cuando se sentaba sobre cubierta y se quedaba mirando al infinito, al atardecer, en ese momento de extraordinaria belleza en que el sol, antes de ser engullido por el horizonte, tiñe las nubes de púrpura, o de escarlata, o de carmesí, y el cielo entero parece incendiarse sobre un mar que cambia constantemente de color. Cientos de pensamientos y de recuerdos acudían a su mente y lo sumían en un estado de enajenación.

Sus hombres pasaban a su lado y procuraban no distraerlo. Se limitaban a hacer algún comentario.

—Melancólico está melancólico.

—¿Quieres decir que está muy melancólico?

—Me temo que sí.

Durante uno de esos atardeceres mágicos, un grito de Botines lo devolvió a la realidad.

—¡Barco a la vista! —alertó—. ¡A babor!

El capitán dio un salto, se restregó el ojo y miró a babor. En efecto, podía verse con claridad la silueta de un barco. Eso era más que suficiente para que Melancólico volviera a convertirse en… Pendenciero. ¡Jamás olvidaba su responsabilidad como capitán pirata!

—¡Todo a babor! —gritó al timonel—. ¡Vamos por él! ¡Que no se nos escape!

Las palabras enardecidas del capitán sirvieron para que toda la tripulación se excitara una vez más por la cercanía de un nuevo asalto. Un asalto —¿quién lo duda?— es la cosa más emocionante que puede vivir un pirata. Por eso, todos, sin que nadie lo ordenase, corrieron a sus puestos; una mano aferrada a una soga, la otra a la empuñadura de la espada.

—¡Al abordaje!

Como de costumbre, el combate fue fulminante. Y Melancólico, es decir..., Pendenciero, condujo a sus hombres hasta la victoria. El enemigo, acorralado y atemorizado por la fiereza que mostraban los piratas, apenas opuso resistencia y pronto entregó las armas y, con ellas, el barco entero.

—¡Botines! —bramó el capitán, aún sudoroso—. Inspecciona las bodegas y dame cuenta del botín.

En un santiamén, Botines había hecho inventario de la carga del barco, aunque realmente hacer inventario de aquel botín no tenía mucho mérito.

—¡Instrumentos musicales! —le dijo al capitán una vez terminado el recuento.

—Explícate.

—Pianolas, violines, violonchelos, flautas, flautines... Hay para tres orquestas, por lo menos.

—¡Estupendo, me encanta la música! —el capitán no pudo disimular un gesto de alegría y, apoyándose en su pata de madera, hizo una cabriola en el aire—. Mis hijitos se pondrán muy contentos cuando llegue a casa con esos instrumentos. Contrataré a un profesor de música para que les enseñe a tocarlos.

—¿Qué instrumentos prefieres entonces?

—Para mí, una pianola; para el mayor de mis hijos, un violín; para el pequeño,

un violonchelo. Y para la Crustáceo…
¡una trompeta!

—Queda apuntado. —Botines, como de costumbre, anotaba todo en su cuaderno.

—Estoy pensando que es conveniente contratar a un profesor de canto. ¿Y por qué no a un profesor de danza? —seguía cavilando el capitán—. A lo mejor la Crustáceo también se anima.

De pronto, el capitán cambió de actitud, se acercó un poco más a Botines, carraspeó un par de veces y, bajando la voz, como si pretendiera que nadie más lo oyese, le preguntó:

—¿Y el loro sabelotodo? ¿No estará escondido por algún rincón de esa bodega?

—La he revisado de cabo a rabo. He abierto todas las cajas y todos los paquetes. No estaba ese loro, te lo aseguro; los únicos animales con plumas eran media docena de gallinas.

Durante la cena, el capitán estuvo charlando con Cacas.

—Nadie prepara como tú los calamares en su tinta. No te olvides de la receta.

—No lo haré. Ni tampoco de la del bonito con tomate.

—Por cierto, ¿también le llevarás un instrumento musical a tu madre?

—Sí, le hará mucha ilusión —respondió el cocinero—. Cuando termina el trabajo de la granja, le gusta cantar a voz en grito.

Una vez más, el capitán pensó en la Crustáceo y negó con un ostensible gesto de su cabeza. Recordaba que a ella no le gustaba la música y que en los años que llevaban casados nunca le había oído tararear una canción.

4

LLORÓN

Un día avistaron un nuevo barco. Era muy temprano, hacía pocos minutos que había empezado a amanecer y también hacía pocos minutos que el capitán se había levantado de la cama. Se estaba afeitando su espesa barba con el filo de un cuchillo turco.

La historia de siempre volvía a repetirse.

—¡Barco a la vista!

—¡Todos a sus puestos! —bramó el capitán, que, con las prisas, se dejó la cara a medio afeitar.

Se trataba de una embarcación diferente a las demás. O no. Era un barco como cualquier otro, pero lo que resultaba chocante era que no se inmutase y mantuviese su rumbo como si tal cosa cuando los piratas comenzaron a acercarse.

—¡Qué extraño! —se sorprendió Pendenciero—. ¿No nos tiene miedo?

Se acercaron hasta que los dos cascos estuvieron a punto de chocar. Los tripulantes de aquel barco permanecían impasibles sobre cubierta. Incluso saludaban a los piratas agitando los brazos, como si les hiciera gracia su presencia.

—¡Al abordaje!

Ni Pendenciero ni ninguno de sus hombres recordaban un asalto tan sencillo. No hubo resistencia ni combate. La tripulación de aquel barco no hizo el menor ademán de sacar sus armas, sobre todo porque, como comprobaron después, no llevaba ningún tipo de armas.

No por eso el capitán pirata perdió sus papeles. Mantuvo el tipo en todo momento y dio, como de costumbre, las órdenes oportunas a Botines. No había que confiarse.

—¡Botines, a la bodega! ¡Quiero saber qué mercancías transporta este barco!

—¡A la orden!

Botines descendió a la bodega a toda prisa y salió al cabo de unos minutos. Pendenciero jamás había visto una expresión semejante en su rostro. Frunció el ceño y preguntó:

—¿Cuál es el botín?

—¡Libros! —respondió Botines.

—¿¿¿Libros??? —se sorprendieron todos los piratas a la vez.

—¡Libros y más libros! —explicó Botines—. Montañas de libros. Si hiciéramos un reparto, tocaríamos a varios miles por barba.

Los gestos de los piratas no dejaban la menor duda. Todos rechazaban esa idea. ¿Para qué demonios querían esos libros si no sabían leer?

El capitán le hizo un gesto a Botines para que se acercase. Cuando sus narices se encontraban a menos de un palmo de distancia, le preguntó en voz baja:

—Y entre esos libros… ¿no viste al loro sabelotodo?

Botines negó rotundamente con la cabeza. Y a continuación, aprovechando la cercanía con el capitán, preguntó a su vez:

—¿Puede saberse por qué tienes tanto interés en ese loro?

—Se trata de un loro sabio, más sabio incluso que el más sabio de los hombres. Necesito encontrarlo para hacerle una pregunta.

—¿Qué pregunta? —Botines estaba intrigadísimo.

—Eso no te lo diré.

Mientras tanto, se había producido un alboroto entre la tripulación.

—¡Arrojemos esos libros al agua para que se los coman los peces! —voceó un pirata entre risotadas.

—¡Al agua, al agua, al agua! —le secundaron los compañeros de inmediato.

—¡Silencio! —se impuso el vozarrón del capitán.

Y el silencio duró por lo menos cinco minutos. Los piratas obedecían todas sus órdenes, pero Pendenciero no sabía qué hacer. Jamás se había visto en una situación tan rara. Finalmente, y ante la extrañeza de todos, insistió con dureza:

—¡Nos quedaremos con esos libros!

—¡¿Qué?! —Nadie entendía aquella reacción.

—¡Y no se hable más!

Botines era el único pirata de aquel barco que sabía leer de corrido, dando entonación y sentimiento a las palabras. Es cierto que el capitán también había ido al colegio y había aprendido las letras; pero, como más adelante se comprobará, era muy olvidadizo y no recordaba casi nada de lo que le enseñaron. Era capaz de leer, sí; pero leer tan solo una línea de principio a fin le llevaba al menos tres o cuatro minutos.

Aquellos libros fueron trasladados a la bodega del barco pirata y amontonados en grandes pilas.

—¿Tú tampoco quieres los libros que te corresponden? —le preguntó el capitán a su cocinero.

—¡Oh, sí! Sí que los quiero —respondió Cacas de inmediato.

—¿Tu madre sabe leer?

—No.

—¿Entonces…?

—Le vendrán muy bien para encender la chimenea por la mañana.

—Bien pensado —tuvo que admitir Pendenciero.

Y el capitán pirata no pudo evitar pensar durante unos momentos en la chimenea del salón de su casa. Él, desde el primer momento, se había empeñado en que su casa tuviese una. Siempre le habían encantado las chimeneas. Soñaba con sentarse al anochecer frente al fuego durante las largas noches de invierno, quedarse embelesado con el crepitar de las llamas, observando cómo los troncos se consumían poco a poco y, entre los rescoldos, asar castañas y bellotas. Sin embargo, la Crustáceo odiaba las chimeneas y se negaba a encenderla, pues decía que toda la casa se llenaba de hollín y de olor a chamusquina.

Los piratas estaban molestos por haber tenido que cargar con aquellos libros. Decían, sobre todo, que ocupaban mucho espacio en la bodega y que eso impediría llevar otros botines más valiosos.

—¡Os servirán para encender la chimenea! —trataba de convencerlos el capitán.

—Yo no tengo chimenea —protestaba un pirata.

—Yo prefiero encenderla con astillas —replicaba otro.

Pendenciero no sabía qué hacer. A veces pensaba que acabaría dando la razón a sus hombres y arrojaría aquel cargamento de libros al fondo del mar, para que los peces se diesen un banquete de letras. Sin embargo, se le ocurrió una idea.

Una noche, antes de irse a la cama, mandó reunir a toda su tripulación en cubierta. Luego, se dirigió a Botines y le dijo:

—Baja a la bodega y trae uno de esos libros.

—¿Cuál de ellos?

—El primero que encuentres.

Extrañado, Botines bajó a la bodega y, tanteando, porque estaba muy oscuro, cogió el primer libro que rozó con los dedos. Regresó de inmediato, ansioso por saber lo que pretendía su jefe.

Pendenciero le acercó un farol y se limitó a decirle:

—Léelo en voz alta.

Botines no dejaba de sorprenderse cada vez más. Puso un gesto de extrañeza, como dando a entender que todo aquello no era más que una broma; pero el capitán repitió la orden tajantemente.

—¡Léelo en voz alta!

Botines abrió el libro y lo acercó al farol. Le echó un vistazo y movió la cabeza con un gesto de disgusto.

—Es un libro para niños —dijo.

—¡Léelo! —bramó el capitán.

Y Botines comenzó a leer en voz alta, dando a las palabras la entonación que precisaban.

En pocos segundos, el relato cautivó por completo a aquellos feroces piratas. Era la historia de dos maquinistas, amigos desde la infancia, que conducían un tren de mercancías.

—¿Y qué diantre es un tren? —preguntó en voz baja un pirata a otro que tenía a su lado.

—Es como un barco, solo que va por tierra en vez de por mar.

—¿Y tiene velas?

—No, tiene chimenea.

—¡Ah!

—No estaría mal asaltar ese tren y quedarnos con el botín —terció otro pirata.

—¡Silencio! —El capitán cortó como un trueno aquellos comentarios.

A medida que el cuento avanzaba, la emoción de todos crecía; en especial, la del capitán. Dos lágrimas habían saltado de sus ojos y descendían en zigzag por su rostro curtido, surcando arrugas y cicatrices, enredándose con los cañones de su barba.

—¿Qué te ocurre? —le preguntó Cacas.

—Imaginaba lo que disfrutarían mis hijitos escuchando este cuento. —El capitán tuvo que sonarse los mocos—. Pensaba en lo felices que seríamos sentados junto a la chimenea. Ellos sobre mis rodillas, y yo leyéndoles el libro.

Los jipidos del capitán interrumpían de vez en cuando la lectura de Botines, para disgusto de la piratería, que seguía sin parpadear aquella historia en la que los dos maquinistas del tren de mercancías sufrían graves problemas por haber olvidado la palabra «no».

Desde ese día, como podrá deducirse, Llorón fue otro de los sobrenombres del capitán.

5

RUMBO A CASA

Y llorar producía efectos inmediatos en Llorón. Llorar le traía recuerdos de los suyos y le hacía caer en la cuenta del tiempo que llevaba sin verlos, y eso desataba su tristeza. Y cuando la tristeza se le despendolaba, le embargaba la nostalgia. Y la nostalgia le conducía, sin remedio, hasta una nueva llantina.

—El pez que se muerde la cola —razonó Cacas, tratando de describir la situación.

—Me gusta esa cena —malinterpretó las palabras el capitán.

—No me refería a la cena —aclaró Cacas—. Para cenar ya he preparado patatas con bacalao.

—También quiero la receta.

Llorón pensó que solo había un remedio para acabar con aquel sin vivir. Así que, resuelto, se encaramó al castillo de proa y dijo a voz en grito a sus hombres:

—¡Regresamos a casa!

En general, sus palabras fueron acogidas con júbilo por los piratas, pues a todos les apetecía ver de nuevo a los suyos y volver a pisar tierra firme, aunque solo fuese para echar de menos el vaivén del mar, que era su mundo.

Botines fue el único que se atrevió a poner algunas pegas.

—Aún nos queda sitio en la bodega —comentó—. Podríamos asaltar tres o cuatro barcos más.

—¡He dicho que volvemos a casa! —repitió la orden Llorón. Y, volviéndose al timonel, le gritó—: ¡Todo a babor!

—Pero… para ir a casa hay que virar a estribor —le corrigió de inmediato Botines, negando con la cabeza, como si la equivocación de su capitán no le pillase por sorpresa.

—¿Estás seguro?

—Sí.

No obstante, Llorón quiso cerciorarse y preguntó a los piratas, que seguían reunidos en cubierta:

—¿A babor o a estribor?

—¡¡¡A estribor!!! —gritaron todos los piratas a coro.

El capitán salió de dudas. Volvió a mirar al timonel, carraspeó un par de veces y gritó:

—¡Todo a estribor!

Y, finalmente, el barco tomó rumbo a estribor, es decir, a casa.

Debido a estos despistes, el capitán pirata también era conocido por el sobrenombre de Atolondrado. Y fue precisamente este mote el más famoso de todos en el mundo de la piratería.

El atolondramiento le venía de muy atrás, incluso desde niño. A Botines le gustaba contar algunas anécdotas de la infancia, cuando los dos iban al mismo colegio, que ya daban prueba de la mala cabeza de su capitán.

Las crónicas de la piratería están repletas de historias que justifican el apodo de Atolondrado. La más jugosa de todas es la que le ocurrió el día de su boda con la Crustáceo, cuando se confundió de iglesia y estuvo a punto de casarse con la Lapa, que era el mote de una moza de un pueblo cercano que se casaba allí ese mismo día y que estaba esperando a su novio en la puerta. La Lapa llevaba un velo que le cubría la cara y era tan tupido que le nublaba la visión. De no ser por Botines, que se presentó en la iglesia y se llevó a Atolondrado a toda prisa, el desaguisado hubiese sido de los que pasan a la historia.

—¡¿No te habías dado cuenta de que esa no era la Crustáceo?! —le reprochó, ya camino de la nueva iglesia.

—Ya decía yo que me parecía más flaca y más baja —reconoció Atolondrado.

—¡Tres Lapas harían falta para igualar a la Crustáceo! ¡Y hasta me quedo corto!

Rumbo a casa, se cruzaron en primer lugar con un barco de considerables dimensiones. Botines convenció al capitán para que lo asaltasen. Al fin y al cabo, les pillaba de camino. No les haría perder mucho tiempo y, por el contrario, les proporcionaría un nuevo botín.

Cuando el capitán se convenció y aceptó la propuesta de Botines, tuvo que hacer un esfuerzo extraordinario para volver a convertirse en Pendenciero. Todos pudieron observar cómo se iba transformando poco a poco. Primero se le secaban las lágrimas, como una fuente en verano; luego, el halo de melancolía se le iba disolviendo, como la bruma del amanecer; y, por último, una expresión ruda y feroz volvía a apoderarse de ese rostro curtido por todos los vientos marinos de los que se tiene noticia, e incluso de los que no se tiene.

—¡Todo el mundo a sus puestos! —Su voz volvía a parecer el trueno que preludia la tempestad.

Los piratas se contagiaban de inmediato y les salía la fiereza hasta por los ojos.

—¡Al abordaje!

No fue la única embarcación que asaltaron camino de casa, pues se cruzaron con dos más. Ninguna salió indemne.

—¡Botines, al botín!

El primero de los barcos iba cargado de aceitunas. Millones de aceitunas aliñadas y envasadas en grandes latas.

—¡Me encantan las aceitunas! —Al capitán se le iluminó el rostro—. ¡Y la Crustáceo se vuelve loca por ellas! ¡Y no digamos mis dos hijitos! ¡Apártame unas cuantas latas, Botines!

—Descuida, hay tantas que a todos os saldrán aceitunas hasta por las orejas.

—¡Ya me estoy relamiendo!

Y Pendenciero se imaginaba sentado en la puerta de su casa, con sus dos hijos y su mujer, comiendo aceitunas y escupiendo los huesos. Les gustaba competir para ver quién llegaba más lejos con el hueso. Siempre que lo hacían ganaba, con diferencia, la Crustáceo. ¡Qué manera de escupir la suya! ¡Y qué puntería! ¡Era capaz de atizarle al gato entre los ojos a veinte metros de distancia!

El segundo barco que atacaron iba cargado con monedas de oro antiguas y otros tesoros. Resultó que aquel navío había saqueado a su vez a un viejo galeón hundido que localizaron cerca de unos acantilados. Eso sí, en ninguno de los dos apareció el loro sabelotodo, a pesar de que Botines, cumpliendo escrupulosamente las órdenes de su capitán, los registró de cabo a rabo.

Al ver aquellas monedas tan viejas, los piratas pusieron gestos de decepción.

—Estas monedas no son de curso legal —dijo uno, que parecía muy entendido.

—Con ellas no podremos comprar ni media docena de huevos.

—¡Os equivocáis! —les replicó Botines—. Estas monedas valen más que su peso en oro.

—¿Estás seguro de lo que dices? —le preguntó de inmediato el capitán.

—Por supuesto que lo estoy. Lo que les da tanto valor es, precisamente, ser tan antiguas.

—Pues, entonces, quiero un arcón lleno de esas monedas. Con el dinero que saque por ellas le compraré un vestido nuevo a la Crustáceo y unos zapatos a mis hijitos.

—Tendrás para eso y mucho más.

—Y también me compraré un ojo de cristal, que estoy harto de llevar el parche. ¿Los habrá de mi color?

—Conozco a un vendedor de ojos de cristal. Los tiene de todos los colores y están tan bien hechos que nadie los diferencia de los verdaderos.

Atolondrado se quedó pensativo un rato, como si no recordase alguna cosa.

—Dime, Botines, ¿de qué color es mi ojo?

—¿No lo recuerdas?

—¿Es azul?

Botines miró detenidamente el ojo que le quedaba.

—Miel —respondió.

—¿Miel?

—Sí, tu ojo es de color miel.

—¿Estás seguro? ¿No es de color azul, como el mar y como el cielo?

—Es de color miel, no cabe duda.

—¡Pues yo me compraré un ojo azul! —se enrabietó el capitán—. ¡No me importará llevar un ojo de cada color!

6

ATOLONDRADO

Estaban ya muy cerca de tierra firme cuando avistaron el tercer barco. El capitán se pensó mucho si asaltarlo o no. No tenía ganas de volver a convertirse en Pendenciero, pero Botines, siempre ansioso por incrementar el botín, fue el que más insistió.

—Aunque poco, aún queda espacio en la bodega. Además, podemos cargar algunas cosas dentro de los carruajes. De esta forma habrá sitio para un nuevo botín.

—Perderíamos mucho tiempo. —El capitán trataba de buscar excusas—. Todos estamos ansiosos por desembarcar.

Pero, de repente, a Botines se le ocurrió una idea. No podía fallar. Sonrió con picardía y, seguro de sí mismo, dejó caer unas palabras con forzada indiferencia.

—Sería una lástima que en ese navío se encontrase el dichoso loro sabelotodo.

—¿Tú crees que...? —reaccionó de inmediato el capitán.

—Nunca se sabe lo que se puede encontrar en las bodegas de un barco.

—Está bien —aceptó al final—. Pero que conste que este será el último asalto.

Y la historia volvió a repetirse. El capitán se convirtió una vez más en Pendenciero y, cuando llegó el momento preciso, sujetó su espada con los dientes, se agarró a una cuerda y saltó.

—¡Al abordaje!

Fue un asalto sencillo y sin complicaciones, así que Pendenciero trató de despacharlo cuanto antes.

—¡Rápido, Botines!

Botines descendió a la bodega, como de costumbre, y volvió a salir casi inmediatamente con una jaula en la que había un loro de vistosos colores. Al verlo, al capitán le dio un vuelco el corazón. Rápidamente se metió la mano en su casaca y rebuscó en los bolsillos hasta que sacó un papel arrugado. Lo desplegó y lo puso al lado del loro. Luego, observó con detenimiento y negó con la cabeza, sin poder disimular un gesto de disgusto.

—Este no es el loro sabelotodo.

—¿Cómo puedes saberlo? —preguntó Botines.

—Tengo un retrato del auténtico que me dio un marinero cerca del cabo de Buena Esperanza. No se parecen en nada.

—¡Qué contrariedad!

—¿Y no había más cosas en esa bodega?

—Sí, estaba llena de cajas.

—Pues vuelve a bajar y mira lo que guardan esas cajas. ¡Rápido!

Botines volvió a descender a la bodega y, al cabo de unos minutos, reapareció en cubierta. La expresión de su rostro estaba a mitad de camino entre la sorpresa y el asombro. Llevaba en las manos un trozo de tela blanco lleno de cintas. Lo levantó para que todos pudieran verlo bien.

—¡Corsés! —dijo al fin.

Pendenciero frunció el ceño. No entendía bien las palabras de Botines. Lo mismo le ocurría a la piratería. Se creó una enorme confusión y todos se preguntaban por aquel cargamento.

—¡Explícate! —ordenó el capitán a Botines.

—El barco está repleto de corsés. Ese es el botín.

Se escuchó un murmullo de decepción y Pendenciero hizo un gesto como dando a entender que no merecía la pena semejante hallazgo y que regresaban a casa de inmediato.

—Es un botín magnífico —continuó Botines—. Todos podréis regalar a vuestras mujeres y a vuestras novias un corsé como este.

Pendenciero volvió a fruncir el ceño y su ojo quedó casi sepultado por las arrugas de su cara.

—¿Para qué? —preguntó.

—Cuando se lo pongan, se volverán más atractivas. Se reducirá su cintura y, por el contrario, se volverán más grandes sus… —dudó Botines, como si le diese reparo continuar, mientras se colocaba el corsé alrededor del cuerpo.

—¿Sus qué? —le apremió el capitán.

—Sus… sus… —Botines hasta llegó a ponerse colorado tratando de explicar al capitán qué era lo que resaltaban aquellos corsés en las mujeres, mientras movía las manos de forma circular a la altura de su pecho—. Sus… sus…

—¡Parece cosa de magia! —exclamó Pendenciero con la boca abierta cuando lo comprendió.

—Tú mismo podrás comprobarlo.

—Pues apártame unos cuantos corsés para la Crustáceo.

De repente, se produjo un gran alboroto entre la piratería, pues todos querían conseguir aquel extraño botín que tenía unas propiedades tan sorprendentes.

Y por fin, una mañana, muy temprano, un pirata que se había encaramado en lo más alto del palo mayor gritó:

—¡Tierra a la vista!

Estaban en casa después de una larga travesía. Pero había merecido la pena porque volvían con la bodega repleta. Botines, como siempre, se había encargado de hacer los lotes correspondientes y cada uno de los piratas ya sabía cuál era su parte.

El botín del capitán fue cargado en su enorme diligencia, para la que encontraron dos fuertes caballos de tiro. Allí estaban los instrumentos musicales, los libros, las latas de aceitunas, las monedas antiguas de oro y los corsés.

En el muelle del puerto no cesaban la algarabía ni las bromas. Volver a casa siempre era motivo de júbilo, aunque a los dos días algunos ya estuvieran deseando embarcarse de nuevo.

Unos cuantos decidieron tomarse un trago en la mugrienta taberna La Chirla y el Mejillón. Otros, deseosos de reencontrarse con su familia, partieron de inmediato. Pero antes de que se produjese la desbandada, Botines tiró de la manga al capitán y le recordó que debía anunciarles algo de suma importancia.

El capitán cayó en la cuenta y, con su vozarrón habitual, gritó a los piratas:

—¡Dentro de veinte días os quiero encontrar a todos aquí! ¡Será el momento de volver a hacernos a la mar!

Botines, además, tuvo que recordar al capitán cómo se conducía una diligencia y cómo debía tratar a los caballos para que obedecieran.

Muy contento, el capitán, ya convertido en Atolondrado, azuzó a los caballos, y la diligencia, cargada con todo el botín, se puso en marcha.

—¡Rumbo a casa! —gritó emocionado.

Al cabo de más o menos una hora llegó a un cruce de caminos y, aunque había pasado cientos de veces por el lugar, dudó si a su casa se iba por el sendero de la derecha o por el de la izquierda.

«¡Qué cabeza la mía! Si Botines estuviera conmigo, me sacaría de dudas», pensó.

Finalmente, se convenció de que a su casa se llegaba por la derecha y tomó ese sendero. Pero se equivocó. Su atolondramiento comenzaba a hacer de las suyas.

Después de dos horas, cansado de no encontrar su casa por ninguna parte y de descubrir paisajes que no le sonaban de nada, resolvió dar la vuelta y coger el camino de la izquierda. Pero era la hora de comer y su estómago estaba empezando a protestar. Sonaban tanto sus tripas, que a veces acallaban hasta el chirrido de los ejes de las ruedas de la diligencia.

Vio una fonda a un costado. Había algunos caballos atados a una valla de madera, algunas mulas y muchos borricos. También había algunos carromatos. Si tanta gente paraba en aquella fonda, era señal de que allí daban bien de comer. Decidido, colocó su diligencia a la sombra de un frondoso castaño. No se molestó ni en desenganchar a los caballos, pues pensaba comer a toda prisa y reanudar la marcha hasta su casa.

A aquella fonda iban tipos de todas las calañas, e incluso salteadores de caminos. Por eso, cuando Atolondrado salió totalmente confiado y con el estómago lleno, descubrió con desolación que su flamante diligencia había desaparecido.

—¡Por todos los diablos! —exclamó, y echó mano a su espada.

Pero ya era tarde.

Los ladrones no habían dejado ni rastro. Bueno, sí, algunas cosas dejaron, cosas que sin duda no les interesaban: el arcón lleno de libros, los corsés y las recetas de cocina que Cacas había dictado a Botines.

En medio de su desesperación, Atolondrado sacudía mandobles a un matorral para descargar su rabia, pero lo único que consiguió fue dejar completamente desmochada la planta.

—¡Malditos ladrones!

A Atolondrado le resultaba muy difícil convertirse en Pendenciero en tierra firme. Eso era sencillo en alta mar, frente a un barco que se disponía a asaltar; pero en tierra…

Por eso, enseguida hizo mella en él la tristeza y se convirtió en Melancólico, y poco después en Llorón. Sus jipidos congregaron a su alrededor a toda la gente

que se encontraba en la fonda y, aunque
hubo varias personas que lo intentaron,
ninguna consiguió consolarlo.

—¡Buaaa!

—Denuncia el robo a la policía —le
dijo uno.

Llorón miró sorprendido al que había
pronunciado esas palabras.

—¿Desde cuándo un pirata tiene que
recurrir a la policía? —replicó indigna-
do—. ¡Cuando pille a esos bribones los
colgaré yo mismo por las orejas del más-
til más alto de mi barco!

7

CON LAS MANOS VACÍAS

Cuando consiguió calmarse un poco y volvió a ser Atolondrado, reanudó su camino a pie. Metió los corsés en su mochila, se guardó las recetas de cocina en el bolsillo del pantalón y cargó con el arcón lleno de libros a la espalda.

Tras horas de camino, al anochecer, después de perderse cinco veces, llegó a su casa. Al verlo acercarse, sus dos hijitos comenzaron a dar saltos de alegría y corrieron a su encuentro gritando:

—¡Papá! ¡Papá! ¡Ya vuelve papá!

Emocionado, el pirata abrazó a sus dos pequeños y los levantó en vilo, dando varios giros sobre su pata de palo.

Era una habilidad que había desarrollado y que a los niños les gustaba mucho, pues tenían la sensación de estar en un tiovivo.

—¡Papá! ¡Papá!

—¡Hijitos míos!

Cuando se detuvo, los tres estaban mareados. Las cosas que les rodeaban se movían, como si estuvieran flotando en el aire y el viento las llevase de acá para allá.

Y en ese estado de mareo descubrió la inconfundible silueta de su mujer. La figura de la Crustáceo, a contraluz, se recortaba frente al porche por el que se accedía a su casa. Tenía los brazos en jarras y los bigotes manchados de tinta de calamar.

Dio unos pasos hacia su marido y él llegó a sentir que hasta el suelo temblaba con cada zancada.

—¿Has vuelto? —le preguntó.

Él se miró a sí mismo para constatar si era algo real o tan solo un espectro. Luego, dio unos pasos hacia su mujer, la abrazó con fuerza y la besó. Sus respectivos bigotes parecieron entrelazarse durante unos segundos.

—¡De nuevo en casa! —suspiró Atolondrado.

—Yo pensaba que la verdadera casa de un pirata era su barco en medio del mar —le espetó la Crustáceo.

—Bueno, eso es un decir —se justificó Atolondrado—. Es una frase con la que a los piratas nos gusta llenarnos la boca, pero... volver a casa, reencontrarte con tus hijitos, con tu mujer... Eso no tiene precio.

La Crustáceo miró a un lado y a otro, como si estuviera buscando algo. Finalmente, fijó sus ojos en la mochila de su marido y en el arcón.

—¿Dónde está el botín?

Atolondrado comenzó a sentir un sudor frío que invadía todo su cuerpo y, para continuar hablando, tuvo que tragar saliva un par de veces. Luego, retrocedió hasta donde estaba el arcón. Lo abrió y sacó algunos libros.

—¿Qué es eso? —preguntó la Crustáceo.

—Libros —respondió Atolondrado.

—¡Eso ya lo veo! Pero ¿para qué demonios necesitamos nosotros libros?

—Serán de utilidad para los niños. Aprenderán muchas cosas con ellos. Ya están en edad de aprender.

—Servirán mejor para encender la lumbre.

Atolondrado se metió la mano en el bolsillo y sacó los papeles arrugados donde Botines había escrito con muy buena letra las recetas de cocina de Cacas, el cocinero del barco.

—También te he traído unas cuantas recetas de cocina. Son platos riquísimos, te lo aseguro.

—¡La cocina no es lo mío! ¡Lo sabes desde antes de que nos casásemos!

—Sí, lo sé, pero…

Al descubrir que no había más botín que aquello, la Crustáceo comenzó a despotricar contra su marido, preguntándole a gritos qué clase de pirata era, pues volvía a casa después de varios meses en el mar con solo un puñado de libros y recetas de cocina.

Él, abochornado, y para salvar el honor y la dignidad de la piratería, reconoció que el botín había sido mucho mayor:

—Una diligencia con cuatro ruedas.

—¡Con la falta que nos hacía un carruaje así! —bramó la Crustáceo.

—Instrumentos musicales.

—¡Podríamos haber formado un cuarteto de cámara!

—No sabía que te interesase la música.

—¡Los hombres nunca llegáis a conocer lo que les gusta a las mujeres!

—Aceitunas.

—¡Aceitunas! ¡De pensarlo se me hace la boca agua! ¡Después de los crustáceos, son las aceitunas lo que más me gusta! ¡Comerlas a puñados y escupir los huesos!

El enfado de la Crustáceo era tan grande que, como popularmente se dice, se subía por las paredes. Lo que ocurre es que ella se subía de verdad. Se subía por una pared de la casa, se encaramaba al tejado, daba un grito con todas sus fuerzas para desahogarse y bajaba por la pared opuesta.

—¡Desastre de hombre! —bramaba—. ¡¿Cómo dejaste que te robasen todo eso?!

—Entré a comer a una fonda y… Como solo tengo un ojo, tenía que tenerlo en el plato. Si hubiese tenido dos…

—¡Te mataría! —La Crustáceo era una furia desatada—. ¡Te estrecharía entre mis brazos hasta que todos tus huesos comenzaran a crujir!

Solo de pensarlo, a Atolondrado le dio un escalofrío. Entonces recordó que en su mochila había algo más. Pensó que con eso a lo mejor contentaba un poco a su mujer.

—Los corsés no me los han robado —dijo.

—¿Los qué? —preguntó ella.

Atolondrado metió la mano en la mochila y sacó un corsé. Ella fijó su mirada en la prenda. Luego, se acercó a su marido y se la arrancó de las manos. No dejaba de mirarla mientras la manoseaba constantemente, sorprendida por la suavidad y elasticidad de la tela.

—¿Para qué sirven?

—Pues… reducen la cintura y aumentan las… las…

—Las… ¿qué?

—Las… las… —Atolondrado se sentía especialmente atolondrado.

—¡¿Quieres explicármelo de una vez?!

—Lo que quiero decir es que… encogen la parte de abajo y ensanchan la parte de arriba —dijo al fin, acompañando sus palabras con evidentes gestos de sus manos—. Al menos eso es lo que nos ha asegurado Botines.

La Crustáceo negó con la cabeza, como dando a entender que su marido se había vuelto loco, y se metió en la casa.

Atolondrado se sentó sobre una piedra y permaneció pensativo un buen rato. Su atolondrada cabeza no dejaba de dar vueltas y más vueltas. Se lamentaba de no haber encontrado al loro sabelotodo, al que ansiaba hacer una pregunta. Una pregunta, claro está, muy importante. Quizá ese pajarraco, si era tan sabio como se decía, tuviera la respuesta y, con ella, la solución.

Esa noche, después de la cena, sentado en el porche bajo un firmamento plagado de astros brillantes, con una luna creciente velada por una nubecilla, a la luz de un viejo farol, trató de leer a sus hijitos uno de los libros del botín. Era el mismo que había leído Botines en el barco.

Sus hijitos se sentaron en sus rodillas y la Crustáceo se retiró unos metros para fumarse una pipa. No es que ella fuese una fumadora empedernida, pues durante el día se olvidaba por completo del tabaco, pero después de cenar, y antes de meterse en la cama, siempre se fumaba una pipa.

Para ayudarse con la lectura, el pirata puso el dedo índice en el renglón que pretendía leer; pero, como la luz no era abundante, las palabras se le juntaban y las letras se le confundían.

—¿Necesitaré gafas? —se preguntó.

Se sintió en un verdadero aprieto, del que le sacó enseguida uno de sus hijitos, el mayor. Este, viendo los apuros de su padre, agarró el libro y comenzó a leerlo con la mayor naturalidad del mundo.

Atolondrado se quedó sorprendido.

—¿Sabes leer? —le preguntó.

—Pues claro, para eso voy al colegio todos los días.

En vez de alegrarse, a Atolondrado le dio un ataque de melancolía parecido a los que de vez en cuando sufría en el barco y que habían originado otro de sus motes. Tuvo que sacar de su bolsillo un mugriento pañuelo para que sus hijitos no se diesen cuenta de que se le saltaban las lágrimas y se le caían los mocos.

Por supuesto que el capitán pirata estaba contento y orgulloso de que su hijito mayor ya supiera leer, pero entonces se percataba de las muchas cosas importantes que les estaban pasando a los niños y de las que él ni se enteraba por culpa de su ajetreada vida de pirata. Eso era lo que, una vez más, le convertía en Melancólico.

El hijito mayor de Melancólico leía muy bien, de corrido, sin apenas equivocarse. Eso le permitió al pirata volver a escuchar la historia de aquellos dos amigos, maquinistas de un tren de mercancías, que se habían olvidado de la existencia de la palabra «no» e iban por el mundo diciendo a todo que sí, que sí y que sí.

El humo del tren de mercancías lo ponía, por supuesto, la Crustáceo, que no dejaba de dar caladas a su pipa.

8

DULCE HOGAR

A la Crustáceo parecía que le gustaba regodearse en su desgracia, pues no hacía más que preguntar a su marido una y otra vez por el botín perdido.

—¿Y no saliste corriendo detrás de esos ladrones para darles su merecido?

—Cuando me di cuenta, ya se habían largado —trataba de justificarse él—. Además ¿cómo iba a alcanzarlos con mi pata de palo si ellos iban en una diligencia tirada por dos caballos?

—¡Cada vez que me imagino ese carruaje se me revuelven las tripas!

—Yo lo siento tanto como tú, o más.

—Más, no lo creo.

—Pensar que con las monedas de oro podría comprarme un ojo de cristal para dejar de llevar este molesto parche, siempre atado a la frente.

—¿Monedas de oro? —se sorprendió la Crustáceo—. No me habías hablado de esas monedas.

—Eran muy antiguas, pero Botines dijo que tenían más valor precisamente por ser antiguas.

La Crustáceo cerró los puños con gran tensión y Atolondrado pensó por un momento que le iba a largar un puñetazo.

—¡Con ese dinero me habría comprado ungüentos para la piel y unas pinzas para depilarme el bigote! —estalló.

—¿El bigote? —se extrañó el pirata—. Pensé que estabas orgullosa de él. A mí siempre me ha gustado tu bigote.

—¡Cállate, ignorante! ¡¿Qué sabrás tú de los sentimientos de las mujeres?!

Durante el tiempo que estuvo en casa se encargó de la comida. Él mismo iba por la mañana, temprano, hasta el pueblo más próximo a hacer la compra. Luego, se metía en la cocina y seguía al pie de la letra las recetas de Cacas. Como siempre guisaba a fuego lento y en la cocina había mucha luz, le daba tiempo a leerlas.

Desde el primer día sus hijitos reconocieron con júbilo, dando saltos de alegría, que jamás habían probado platos tan deliciosos.

—Es un simple estofado.

Los niños se chupaban los dedos y la Crustáceo, con disimulo, se relamía el bigote con la lengua.

—Y de segundo plato, tenemos croquetas de jamón.

La fuente de croquetas se vaciaba en un minuto. Las manos de los comensales iban constantemente del plato a la boca y de la boca al plato.

—Despacio, más despacio, no os vayáis a atragantar —les aconsejaba el capitán pirata.

Además de hacerse cargo de la comida, aprovechó su estancia en casa para arreglar algunos desperfectos: un grifo que goteaba, una gotera en el tejado, una puerta que se atrancaba... También pintó todas las habitaciones.

—¿De qué color queréis que pinte vuestro cuarto? —preguntó a sus hijitos.

—Azul —respondieron a dúo.

—Me gusta el azul.

Después, preguntó a su mujer:

—¿Y el salón?

—Salmón.

—Me gusta el salmón. Además, me has dado una idea: mañana comeremos salmón. Tengo una receta de Cacas para cocinar ese pescado.

A todos se les hizo la boca agua pensando en aquel salmón.

También arregló el jardín, que estaba muy descuidado. Arrancó las malas hierbas, podó algunos árboles, rastrilló las piedras y plantó unas matas de romero e incienso, porque sabía que estas plantas traen consigo la buena suerte.

Además, hizo un columpio para sus dos hijitos, aprovechando la cercanía de un par de fuertes chopos. Ató una soga a sus troncos y en medio de ellos insertó una tabla de madera para que sirviera de asiento. Los niños se pasaban las horas balanceándose.

—¡No tan fuerte! —les prevenía Atolondrado.

Pero, sin duda, el momento de la jornada en que más disfrutaba el pirata era al anochecer, cuando se sentaban todos en el porche de la casa, miraban al cielo, que se iba oscureciendo poco a poco, e iban descubriendo las estrellas. Por su experiencia en el mar, sabía mucho de estrellas.

—Esa que tira a rojiza es Marte.

—¿La que brilla tanto?

—Sí. Y allí están la Osa Mayor, la Osa Menor, Draco… Draco significa dragón.

—¿Y por qué se llama así?

—Algunos le ven forma de dragón. Un cuerpo de serpiente rematado por una cabeza.

Los niños miraban y miraban. Al principio, solo veían infinidad de puntos luminosos claveteando el firmamento, pero

llegaba un momento en que el espacio parecía cobrar vida y se llenaba de todas las figuras que su padre les iba nombrando.

—Leo, que significa león. Casiopea. Géminis, que significa hermanos gemelos. ¿Los veis allí, uno al lado del otro?

—Sí —respondían los niños, emocionados.

—Aquella tan brillante es la Estrella Polar, la que nos marca siempre el camino del norte.

Después, encendían el farol y el hijito mayor leía durante un rato. El pirata tenía la impresión de que cada día lo hacía mejor. Estaba seguro de que, por ello, llegaría muy lejos en la vida.

La Crustáceo entonces se apartaba unos metros, para no atufar a su marido y sus hijos, y encendía la pipa de todas las noches. Recordaba la pérdida del botín y exclamaba entre dientes:

—¡Serás atolondrado!

Las polillas revoloteaban alrededor de la luz. Desde el río llegaba el croar de alguna rana que parecía estar compitiendo con un grillo. A lo lejos ululaba un búho.

El viento suave de la noche mecía las ramas de los espigados chopos y, como la rapaz nocturna, ululaba también entre sus hojas cantarinas.

—¡Una estrella fugaz! —gritaba, de repente, Atolondrado—. Cerrad los ojos un instante y pedid un deseo.

Y todos cerraban los ojos y pedían un deseo.

Cuando los niños se iban a la cama, la Crustáceo y Atolondrado aún se quedaban un rato. A veces permanecían mucho tiempo en silencio, tumbados en sendas hamacas, pensando en sus cosas.

Otras veces, se atrevían a comunicarse sus pensamientos.

—Estoy pensando… —decía el pirata, recordando las conversaciones que mantenía con Cacas, su cocinero en el barco—. Estoy pensando que podríamos sembrar un huerto.

—¿Te has creído que te casaste con una hortelana? —replicaba la Crustáceo—. No he cogido una azada en mi vida, y no pienso hacerlo ahora.

—Sería un huerto pequeño —insistía Atolondrado—. Tomates, lechugas, pimientos, cebollas, calabacines…

—Te he dicho mil veces que yo no he nacido para destripar terrones ni para cavar surcos.

—También podríamos tener algunos animales.

—¡¿Animales?! ¡No quiero ni oír hablar de animales!

—Unas cuantas gallinas, una vaca, un puerco…

Estas conversaciones nocturnas terminaban por poner de mal humor a la Crustáceo, que se levantaba de la hamaca enfurruñada y se marchaba a dormir.

Atolondrado se quedaba solo en el porche, mirando una vez más las estrellas, respirando ese aire tan apacible y dócil que en nada se parecía al del mar. En esos momentos aprovechaba también para contar los días que le quedaban para volver a embarcar. Hacía sus cuentas con los dedos de las dos manos.

—Ya han pasado dieciséis días; por tanto, me quedan solo cuatro para volver al barco.

Era un auténtico pirata y sentía como el que más la emoción de navegar; pero, al mismo tiempo, se le encogía el corazón pensando en todas las cosas que iba a dejar en tierra y que tardaría meses en volver a ver.

Además, en esos momentos, se daba cuenta de que en su casa, junto a su familia, se olvidaba por completo del loro sabelotodo. Ni siquiera pensaba en él, ni en la pregunta tan importante que tenía que hacerle, ni en su respuesta...

Estaba tan a gusto allí, disfrutaba tanto, que el resto de su mundo se disipaba como el hilillo de humo juguetón que salía por la chimenea de su casa todas las mañanas, muy temprano, cuando se levantaba de la cama, se ataba su pata de madera, se quitaba las legañas del ojo y encendía la lumbre con leña seca.

9

La despedida

Pasaron diecisiete días.

Pasaron dieciocho días.

Y cuando pasaron diecinueve días, Atolondrado se reprochó una y otra vez no haber dado más vacaciones a su tripulación. ¿Por qué no había dicho treinta días en vez de veinte? ¿O por qué no cuarenta? ¿O por qué no dos meses enteros?

«Los maestros tienen dos meses de vacaciones —pensaba—. ¿Por qué no podemos tenerlos también los piratas?».

Los veinte días se le habían pasado volando. Ahora no tenía más remedio que volver al barco y hacerse a la mar. Había lavado toda su ropa de pirata, incluido el parche del ojo y la bandera negra con la calavera.

Mientras la ropa se secaba al sol, se puso a limpiar sus armas, pues no era cuestión de regresar al barco con la espada roñosa o con el cañón de su pistolón lleno de telarañas.

Pensaba en lo que crecerían sus hijitos durante su ausencia y en que tal vez a la vuelta ya casi no los reconocería. Seguro para entonces el pequeño también habría aprendido a leer.

Pero esos pensamientos, irremediablemente, lo volvían Melancólico.

Suspiraba a todas horas y se veía obligado a hacer serios esfuerzos para controlar a Llorón.

Sus hijitos se sentaban a su lado.

—¿Has cortado muchas cabezas con esa espada, papá? —le preguntaban.

—No —respondía él—. Mi aspecto de feroz pirata causa tal espanto que los barcos se rinden sin oponer resistencia. Ya veis, hijitos míos, yo solo asusto.

—¿Y te sabes muchas historias de piratas?

—Por supuesto, muchísimas. Podría estar horas y horas contando historias de piratas, todas emocionantes. Pero algunas os pondrían los pelos de punta y la carne de gallina.

—¿Dan miedo?

—Miedo es poco.

Melancólico se dio cuenta de que no iba a tener tiempo de contar todas esas historias a sus hijitos. Entonces, pensó que cuando volviese al barco se las dictaría a Botines, para que las escribiese con buena letra, y así ellos mismos podrían leerlas algún día.

Alzó la espada para que le diese el sol de plano. Había quedado tan reluciente que deslumbraba. Satisfecho, la metió en la vaina y comenzó la misma operación con un cuchillo que solía llevar escondido en su bota, por si surgía alguna emergencia.

Durante la comida la cosa empeoró, pues los niños no hacían más que alabar una y otra vez el guiso que les había preparado su padre. Todo les parecía sabroso, exquisito, riquísimo… Él sabía que la Crustáceo no iba a matarlos de hambre, pero ella era más descuidada con la cocina, y todos sus platos, llevasen lo que llevasen, sabían prácticamente igual.

Pensó que, a partir de ahora, tendría que volver a comer solo en su camarote,

pues era privilegio del capitán comer en
privado.

—¡Menudo privilegio! —murmuró entre dientes.

La única compañía sería la de Cacas y
eso, al menos, le consolaba un poco, pues
alguna receta nueva le sacaría. Además,
el cocinero era un buen conversador y le
contaría cosas de su madre, y del huerto

y la granja que trabajaba. Seguro que la carreta le había venido de maravilla.

Como habían hecho alguna tarde, salieron a dar un paseo por los alrededores. Pero, a diferencia de otras ocasiones, el pirata no se fijaba en nada, ni en las florecillas que crecían a ambos lados del camino, ni en los árboles cargados de fruta, ni en los pájaros que revoloteaban incansables, ni en el agua del riachuelo que saltaba entre las piedras pulidas… Su mente estaba lejos. Tenía la sensación de que le habían secuestrado el pensamiento para encerrarlo en una oscura mazmorra desde la que no podía verse la luz.

Los niños no paraban de corretear, jugando con todo lo que hallaban a su paso.

—¿Ya has preparado todas tus cosas? —le preguntó de pronto la Crustáceo.

—Ya lavé mi ropa de pirata, abrillanté mi espada, quité las telarañas a mi pistolón…

—Pues no olvides lo más importante: la próxima vez quiero que traigas todo el botín —le advirtió la Crustáceo, fulminándolo con una mirada—. Porque si vuelves a perderlo, si vuelves a dejar que te lo roben unos ladronzuelos de poca monta… ¡No sé qué te haré!

—No volverá a ocurrir.

—Ya no te creo nada —continuó la Crustáceo, a quien la excitación le crecía por momentos—. Has repetido en muchas ocasiones las mismas palabras y no ha servido de nada. ¡He perdido la cuenta de las veces que has regresado a casa sin el botín!

—No volverá a ocurrir —repitió Atolondrado.

—¡Más vale que así sea!

Y la cosa, como es natural, no mejoró por la noche. En el porche, bajo la inmensidad del cielo estrellado, todos permanecían en silencio, como si de repente una bola de papel estrujado se hubiera metido en sus gargantas y les impidiera hablar.

Por eso los ruidos del exterior parecían engrandecerse: las ranas del riachuelo, el búho, el ulular del viento entre los chopos y hasta el zumbido de los mosquitos.

Atolondrado pensaba en la dureza de la vida del pirata. No por los asaltos a otros barcos, ni por los peligros constantes del mar, ni por los avatares del destino..., sino por las continuas despedidas, porque un pirata, un verdadero pirata, como era él, se pasaba la vida despidiéndose.

Entonces pensó que al día siguiente, nada más levantarse, tendría que hacer un esfuerzo para convertirse en Pendenciero y, así, volverse rudo y asumir con entereza cualquier problema. Eso siempre le funcionaba. Bastaría con ponerse su traje de pirata, ceñirse la espada a la cintura y crispar sus manos sobre el mango. Lo demás, vendría por añadidura.

«¡Eso es! —pensó—. Mañana seré Pendenciero. Así, la despedida será más fácil».

A la mañana siguiente, dada su mala cabeza, se le había olvidado que tenía que levantarse Pendenciero y, por consiguiente, siguió Atolondrado, como de costumbre.

Preparó un desayuno especial a sus hijitos y se sentó a tomarlo con ellos. Buscó a la Crustáceo, pero no la encontró por ninguna parte.

Solo cuando dio el último sorbo a su taza de café cayó en la cuenta y recordó el plan que había trazado por la noche. Como aún estaba a tiempo, volvió a su

cuarto para quitarse el pijama y ponerse la ropa de pirata. Había dejado por la
noche la ropa bien planchada sobre una
silla, pero la silla estaba vacía.

Buscó la dichosa ropa por todas par-
tes, pero parecía que los mismos ladrones
que le habían robado la diligencia se la
hubiesen llevado. Y también habían desaparecido la espada reluciente, el pistolón y el puñal que escondía en su bota de
cuero.

—¡Por todos los demonios! —comenzó a ponerse nervioso Atolondrado.

Y de pronto, apareció la Crustáceo.

Atolondrado y sus dos hijitos se que-
daron mirándola con la boca abierta. Incluso se frotaron los ojos con el dorso de
las manos por si estaban soñando.

Llevaba puesta la ropa de pirata de su
marido y, por supuesto, se había ceñido

a la cintura el correaje del que pendían la espada y el pistolón. Su cabeza estaba cubierta con un pañuelo de lunares, anudado al estilo pirata. Lo único que le daba un toque un poco raro era el calzado, pues en un pie se había puesto la bota de Atolondrado, pero, como esta no tenía pareja, en el otro pie llevaba una bota diferente, que ni siquiera era del mismo color.

—Con el primer botín compraré botas nuevas —dijo, mirando a su marido—.

Y para ti, un ojo de cristal. Y ahora me voy, o llegaré tarde al puerto.

Atolondrado no sabía qué hacer ni qué decir.

—Pero… pero… —intentaba articular algunas palabras.

—Tú serás feliz en casa, viendo crecer a tus hijitos. Yo vendré a veros de vez en cuando y te aseguro que no me olvidaré del botín, ni permitiré que nadie me lo robe.

La Crustáceo, asumiendo ya su nuevo papel de capitana pirata, levantó a sus hijos en vilo para besarlos. Luego, se acercó a su marido y lo besó también. Como de costumbre, sus bigotes se entrelazaron.

—Te confesaré una cosa —le dijo cuando ya se despedía en la puerta de la casa—. Toda mi vida he soñado con ser pirata.

Parece ser que fue en ese preciso instante cuando Atolondrado se fijó en un

detalle: la cintura de su mujer se había reducido considerablemente y, sin embargo, sus senos parecían haber aumentado de tamaño. Iba a preguntarle si los corsés tenían algo que ver con ese cambio, pero la Crustáceo, que había notado la mirada de su marido, le guiñó un ojo con picardía y echó a andar en dirección al puerto. Tenía por delante una larga caminata.

A partir de entonces, Atolondrado dejó de pensar en el loro sabelotodo y jamás volvió a preguntar por él. Le traía sin cuidado encontrarlo o no. Su mujer, la Crustáceo, le había respondido a la pregunta tan importante que quería hacerle.

Y fue feliz viendo crecer a sus hijos, cocinando para ellos, cavando un huerto y manteniendo la casa de punta en blanco para cuando ella, entre viaje y viaje, regresase al hogar con el botín a cuestas.

Índice